P9-CNE-895

Texte français d'Élisabeth Duval

Titre de l'ouvrage original : A FELICIDADE É UMA MELANCIA
Éditeur original : Callis Editora, São Paulo, Brésil

11, rue de Sèvres, 75006 Paris
Loi n° 49.956 du 16 juillet 1949 sur les publications
destinées à la jeunesse : mars 2015
Dépôt légal : mars 2015
ISBN 978-2-877-67850-6
Imprimé en Italie

Diffusion l'école des loisirs

www.editions-kaleidoscope.com

Stella Dreis

Pastèque et patatras !

kaléidoscope

Dans une petite maison au fin fond d'un village,
au milieu d'un jardin rempli de fleurs sauvages,
vit miss Radieuse, avec Melvin son cochon de compagnie.
Chaque matin Melvin chante un air oublié, une chanson jolie,
et miss Radieuse au violoncelle accompagne la ritournelle.

Miss Radieuse déborde de gaieté, elle ne fait que rire, chanter, danser,
tant de joie éveille la curiosité de ses tristes voisines,
miss Ronchon, miss Grognon et miss Grizmine.
« Quel est donc son secret ? Nous devons le percer !

J'y mets un point d'honneur », dit miss Ronchon.
« Moi, j'en fais mon devoir », dit miss Grognon.

« Moi, dit miss Grizmine, j'en ai juste assez de notre désespoir.
Quel est donc son secret ? Je brûle de le savoir. »
Nos trois pleureuses épient, espionnent et guettent
quand arrive miss Radieuse, toute guillerette…

… avec sur la tête une demi-pastèque !

Le voilà, son secret ! Le bonheur n'est pas plus compliqué qu'une demi-pastèque en guise de bonnet.

Alors elles rentrent vite dans leurs demeures
où le bonheur est facile à trouver !
Il suffit d'ouvrir le réfrigérateur
et de piocher, saucisses, poisson, poulet...

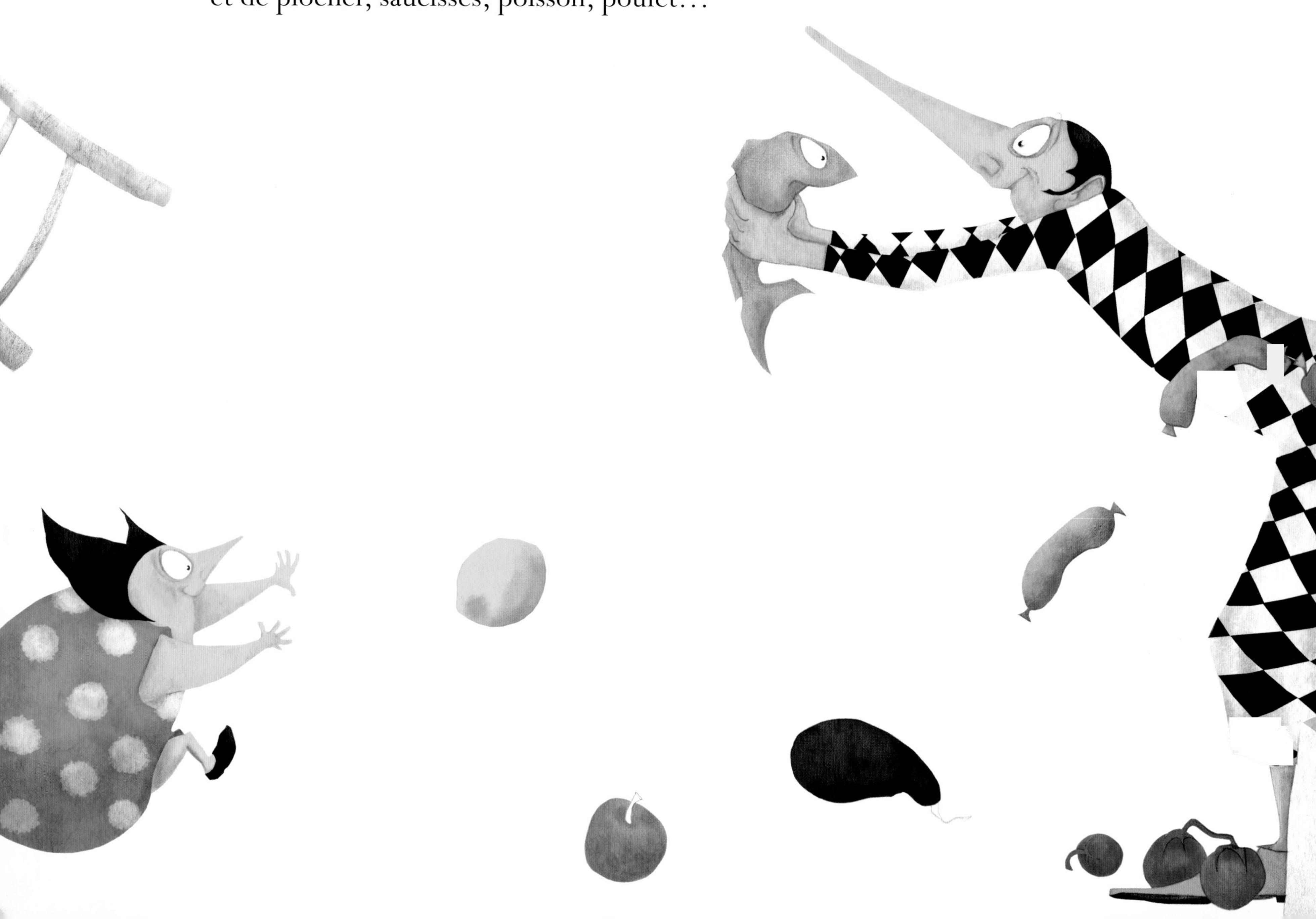

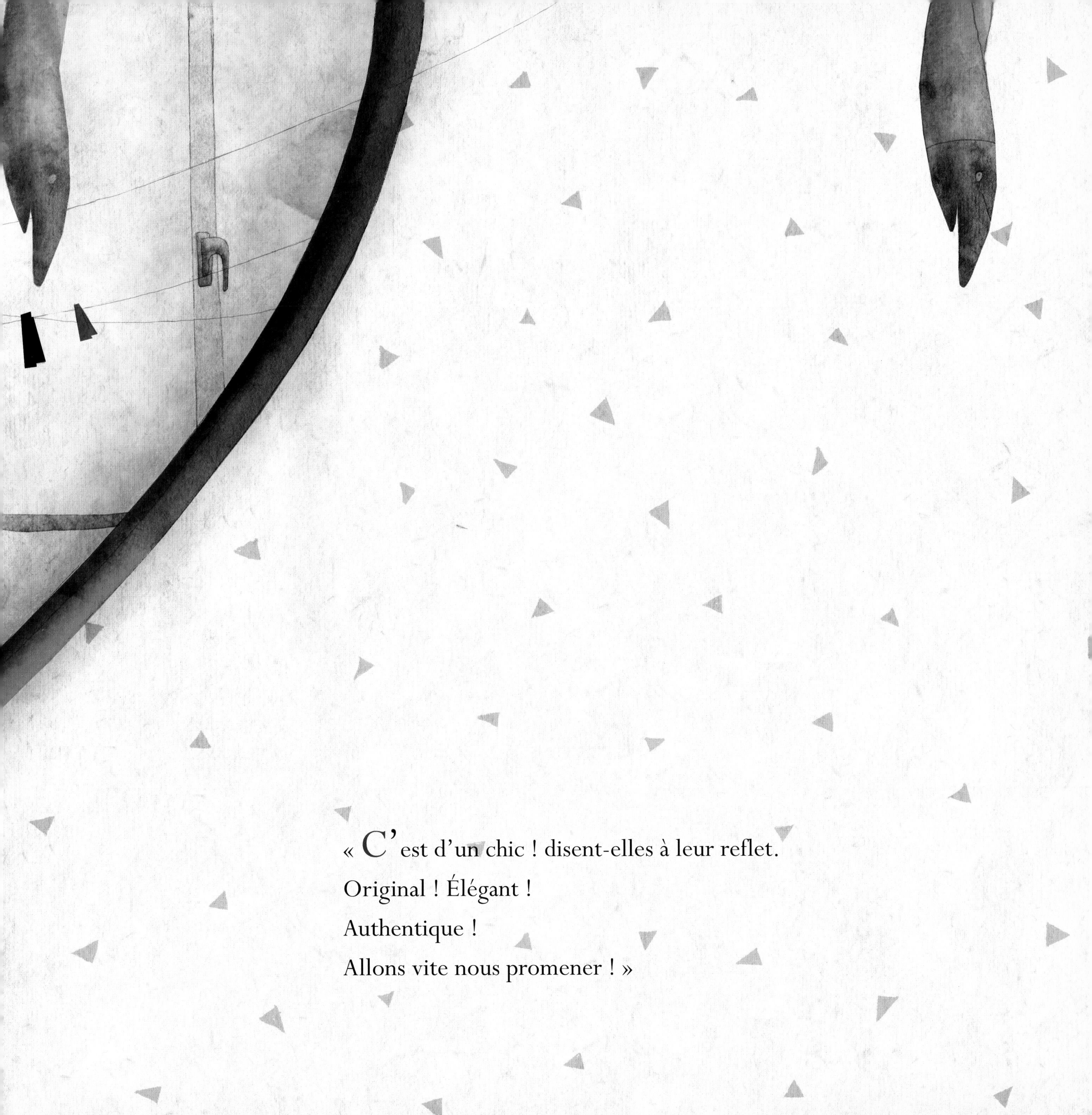

« C'est d'un chic ! disent-elles à leur reflet.
Original ! Élégant !
Authentique !
Allons vite nous promener ! »

Et sur la Grand-Place, ainsi chapeautées,
elles paradent avec fierté.
Tout le monde va se retourner, leur a dit le miroir,
admirer, applaudir, les éloges vont pleuvoir…

Mais personne ne se retourne et c'est le désespoir !
Alors elles décident de se donner encore plus de mal…

… pour être originales.

Colle, clous, marteau… Rien n'est trop beau pour leurs chapeaux qui deviennent de bizarres œuvres d'art, mais n'attirent aucun regard !

« Je sais ! s'écrie l'une d'elles,
tout est dans le violoncelle. »
Elles hissent au sommet d'un arbre un violoncelle et son archet.
Mais, à peine installé, tout le monde dégringole et c'est encore raté !

« Ou peut-être, dit une autre, qu'il suffit
juste d'un animal de compagnie ?
Comme Melvin le cochon ?
Ou alors une girafe, un serpent, un poisson ? »

Mais non, rien n'y fait, nos trois voisines sont encore plus désespérées.
Est-ce qu'une humeur chagrine est condamnée à le rester ?

Elles rentrent chez elles le cœur fort affligé
quand une gigantesque chose vert foncé explose à leurs pieds.

PATATRAS !

Une pastèque !

Pastèque par-ci, pastèque par-là, pastèque partout.
C’est une bataille de pastèques, les morceaux fusent de tous côtés,
Miss Grognon, miss Ronchon et miss Grizmine sont assaillies,
submergées, inondées, et elles rient, et elles rient et elles rient…

Le jus rose dégouline sur les joues des voisines, leurs vêtements sont poisseux et elles ont des pépins jusque dans les cheveux, et elles rient, et elles rient et elles rient !